ᐃᐱᒃᑐᑦ
IPIKTUT
THINGS THAT ARE SHARP

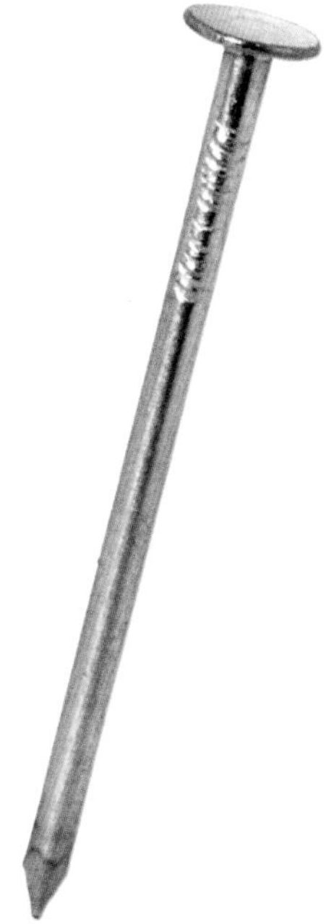

ᐅᓇ ᓴᕕᒃ.

Una savik.

This is a knife.

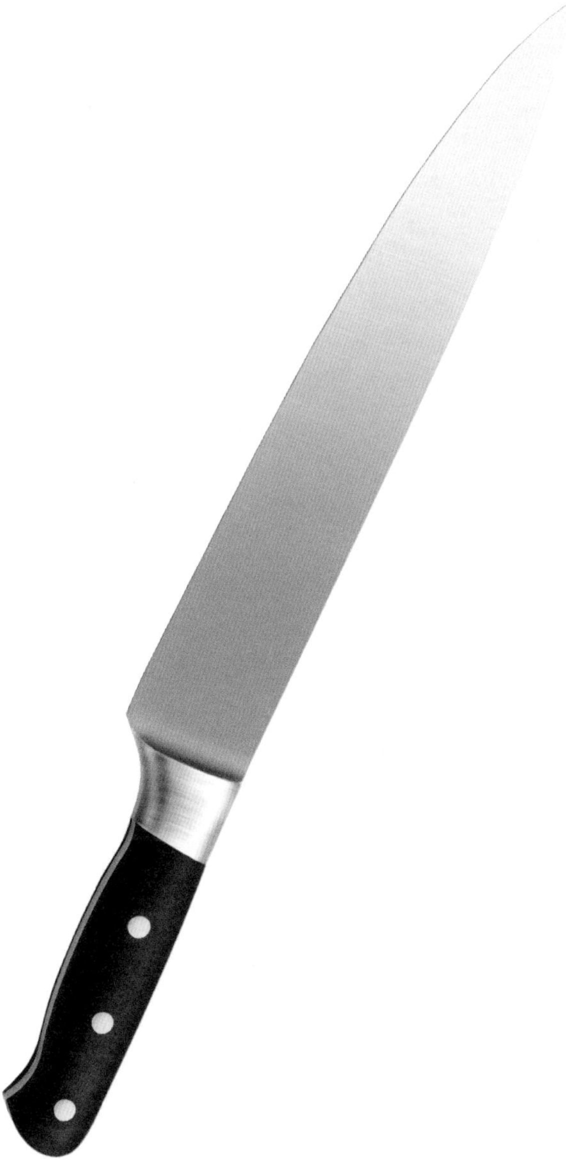

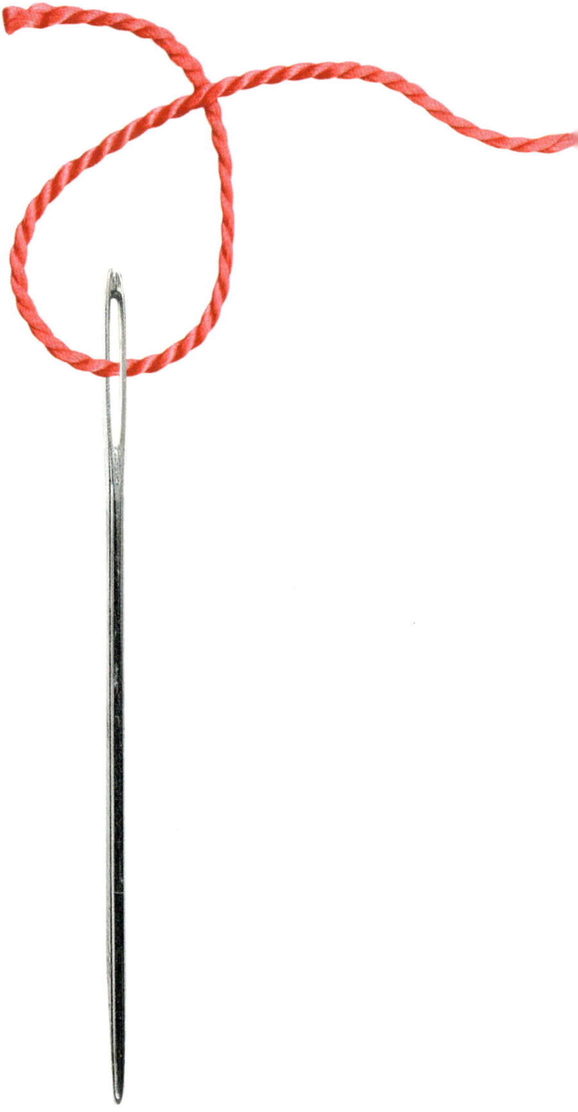

ᐅᓇ ᒥᖅᑯᑎ.

Una miqquti.

This is a needle.

ᐅᓇ ᐅᓗ.

Una ulu.

This is an ulu.

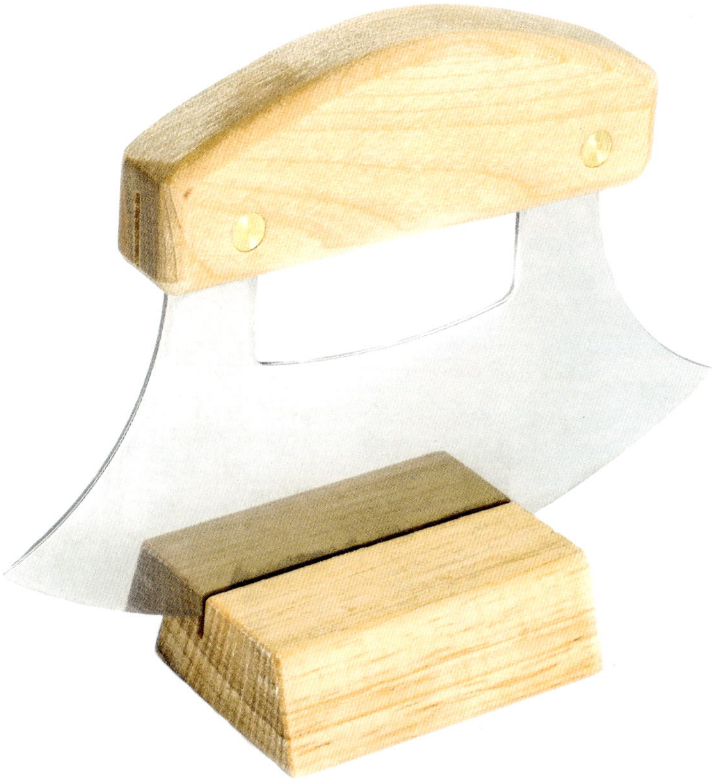

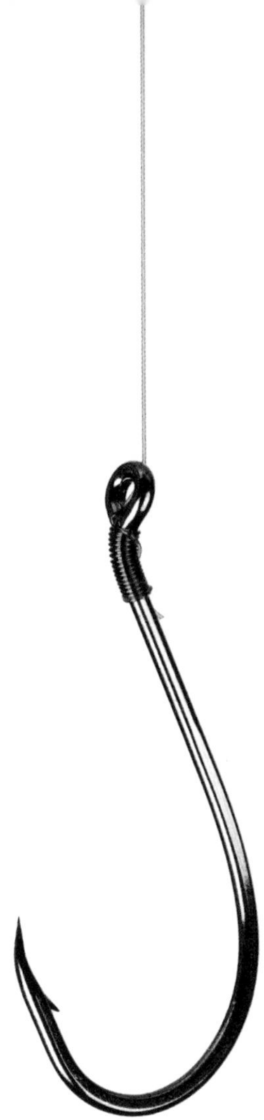

ᐅᓇ ᓂᒃᓯᑲᖅᑕᐅᑦ.

Una niksikaqtaut.

This is a fishing hook.

ᐅᓇ ᑭᑭᐊᒃ.

Una kikiak.

This is a nail.

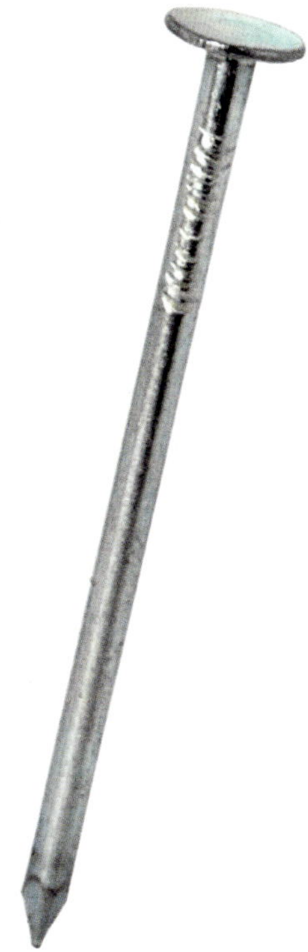

Nunavummi